MELMOTH

MARC-RENIER
RODOLPHE

2
MARY SHILLING

C O U L E U R S
MARIE-NOËLLE BASTIN

DARGAUD
BENELUX

© **DARGAUD BENELUX 1993**
Première édition

Tous droits de traduction, de reproduction
et d'adaptation strictement réservés pour tous pays
Dépôt légal d/1993/2377/448
ISBN 2-87129-070-9

Imprimé par PROOST en Mai 1993

Maquette: Frédéric Niffle

ELLE EST BELLE NOTRE CAMPAGNE, N'EST-CE PAS, JEUNE HOMME ?¡¡¡

TU N'ES PAS D'ICI, TOI, DIRAIT-ON ! D'OÙ VIENS-TU COMME ÇA ?¡¡¡

DE LONDRES, M'AME !

DE LONDRES ?! ¡¡¡DIABLE ! ET OÙ VAS-TU AINSI ?

EN ECOSSE, M'AME, REDCLIFFE, AU NORD DE DUNDEE¡¡¡

DUNDEE ?! QUELLE CURIEUSE IDÉE !! ,,,, L'ENDROIT EST HORRIBLE ! IL N'Y POUSSE QUE GENÊTS ET GRANIT !! ,,,, J'IMAGINE QU'IL FAUT AVOIR UNE SOLIDE RAISON POUR SE REN-DRE EN UN TEL LIEU ! ,,,

DE LA FAMILLE, M'AME ! UN ONCLE,,,, EN-FIN, UN GRAND-ONCLE ! ,,,

UN GRAND-ONCLE ? ET VIVANT SI RETIRÉ ?! FICHTRE ! LE CONNAIS-TU AU MOINS ? ,,,,

NON, M'AME, JE N'AI PAS ENCORE EU CE PLAISIR,

IL TE FAUDRA ÊTRE PRUDENT, MON GARÇON !! LE VENT DES HIGHLANDS REND L'HUMANITÉ QUI Y HABITE À DEMI FOLLE !

POUR ÉCHAPPER AUX BAVARDA-GES ET À L'INSATIABLE CURIOSITÉ DE MA VOISINE, JE M'ABSORBAI DANS LA LECTURE DE MON ROBERT BURNS ,,,,

UN PETIT IN-QUARTO TRÈS JOLIMENT RELIÉ QUE M'AVAIT OFFERT MONSIEUR BILCKAM-BER ,,,,

,,,,PAUVRE MONSIEUR BILCKAM-BER ! ,,,, EN SA COMPAGNIE, MON BONHEUR N'AVAIT HÉLAS DURÉ QUE QUELQUES MOIS ,,,

AÏE !

?!

?!

A L'APPROCHE DE L'ÉTÉ, IL S'ÉTAIT EN EFFET PLAINT DE DOULEURS AIGUËS À LA POITRINE ,,,,

CE N'EST RIEN, LES ENFANTS ,,,, CE N'EST RIEN, ÇA VA PASSER ,,,,

,,,,QUI BIENTÔT PROVOQUÈRENT DES TOUX VIOLENTES ET INCES-SANTES ,,,,

TEUH ! TEUH !

MONSIEUR NE VOUDRAIT-IL PAS QUE J'APPELLE LE DOCTEUR REYD ?

Sur ordre du Docteur, notre protec-teur dut garder le lit ...

Monsieur vous demande tous les deux !

Il ne devait hélas plus le quitter ...

Ah, mes chers enfants !!... Entrez ! Entrez !

Donnez-moi vos mains ! ...

... Il est si doux pour un vieil homme malade de sentir cette chaleur, cette vie ...

Malgré les pieux mensonges de ce brave docteur Reyd, je pense ne plus en avoir pour longtemps à être parmi vous ... Aussi ai-je pris mes dispositions ...

Monsieur Bilckamber !

Non ! Ne m'interrompez pas ! ...

... Comme je n'ai plus de parents et que je n'ai pas eu d'enfants, c'est principalement à vous deux que ce que je laisse reviendra, pour cela, j'ai décidé de vous adopter ...

... Mais n'ayez crainte, je n'ai pas oublié non plus Janet et Paul ...

À la rentrée, je vous ai inscrits au collège Saint-Charles, c'est un établissement de grande réputation ... Austère sans doute mais sérieux, et duquel vous sortirez munis d'excellents diplômes ...

TEUH ! TEUH !

Monsieur Bilckamber ! Vous n'allez pas mourir ?! ...

Le Docteur Reyd a dit que vous serez remis dans moins d'un mois !

Dans un mois, mes pauvres enfants ... Dans un mois, je serai déjà loin ...

MARC RENIER 91

③

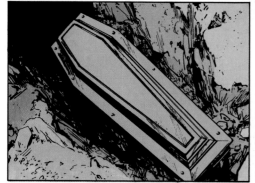

SANS MONSIEUR BILCKAMBER, QU'EST-CE QUE JE SERAIS DEVENU? UN VOLEUR OU UN MENDIANT!... GRÂCE À LUI, JE PEUX FAIRE DES ÉTUDES ET DEVENIR QUELQU'UN!... JE SERAIS FOU DE REFUSER ÇA!...

JE SAIS, FITZ, JE SAIS...

OÙ VAS-TU ALLER?

J'AI UN GRAND-ONCLE QUI HABITE PRÈS DE DUNDEE, C'EST LÀ QU'EST LA MAISON DE LA FAMILLE DE MAMAN, PEUT-ÊTRE M'Y SENTIRAI-JE ENFIN CHEZ MOI?

TU SAIS, FITZ... COMME MONSIEUR BILCKAMBER NOUS A ADOPTÉS TOUS LES DEUX, NOUS SOMMES MAINTE- NANT FRÈRES...

QUOI QU'IL AR- RIVE, NOUS NOUS RETROUVERONS!

NE FAIS PAS L'HYPO- CRITE! TU PARLES DE RE- TROUVAILLES, ALORS QUE TU T'APPRÊTES JUSTE À FICHER LE CAMP!...

FITZ!!

DRÔLE DE FRANGIN QUE TU FAIS LÀ!...

LE LENDEMAIN MATIN, JE PRENAIS LA MALLE POUR NORTHAMPTON.

JE SUIS PEINÉ DE N'AVOIR PAS SALUÉ PAUL ET CETTE PAUVRE JANET, MAIS SI JE LEUR AVAIS DIT QUE JE PARTAIS, ILS AURAIENT ESSAYÉ DE ME RETENIR...

...ET ILS N'AURAIENT CERTES PAS EU TORT!... ALLEZ, FICHE LE CAMP PUISQUE TU NE PENSES QU'À ÇA!

SALUT, FITZ!

SALUT, LÂCHEUR!

⑤

QU'EST-CE QUE C'EST TON LIVRE ?

ROBERT BURNS, M'AME !!

ROBERT BURNS ?... CONNAIS PAS !...

CE SONT DES POÈMES,

AAH, DES POÈMES !... DES POÈMES !...

EN FIN DE CETTE DEUXIÈME JOURNÉE, NOUS FÎMES HALTE À SPALDING...

AU REVOIR, JEUNE HOMME !... ET SOIS PRUDENT ! TU N'ES PAS BIEN VIEUX, POUR VOYAGER AINSI SUR UN SI LONG TRAJET !

JE SAIS, AU REVOIR, M'AME !

JE PRIS UNE CHAMBRE ET M'ENQUIS DE SAVOIR S'IL ÉTAIT POSSIBLE DE SE RESTAURER,

PAS DE PROBLÈME, MON GARÇON ! DAVE VA MONTER VOS AFFAIRES... ASSEYEZ-VOUS, LE DÎNER VA VOUS ÊTRE SERVI...

COOPER ARMS

À BOIRE, PATRON ! À BOIRE !

ON CRÈVE DE SOIF, PAR ICI !!

...UN BON COUP DE PIED, ET HOP ! DANS LA MERDE, MON VIEUX ! HAHAHA !! DANS LE FUMIER JUSQU'AU COU !! TU L'AURAIS VU, LE FERGUSON !!!! HAHAHA !! HAHAHAHA !!

HAHAHA! JE REGRETTE BIEN DE NE PAS AVOIR ÉTÉ LÀ !

6

DAVE! APPORTE ÇA AU GARÇON, LÀ-BAS!

¡¡¡ET PRENDS CE PICHET POUR LORD DUNSAY ET SON AMI!¡¡¡

¡¡¡EN ESPÉRANT QU'ILS PAYENT CE QU'ILS BOIVENT!¡¡¡ ET QU'ILS ME FASSENT LE GRAND HONNEUR DE NE PAS SACCA-GER MON BAR!

BONSOIR! BONSOIR TOUT LE MONDE!

HIHIHI!

TIENS! MARY SHILLING! ÇA FAIT UNE PAYE QU'ON NE T'AVAIT VUE!¡¡¡

C'EST CE PAUVRE BRIAN!¡¡¡ IL ÉTAIT MA-LADE, TRÈS MALADE! IL A FALLU QUE JE LE SOIGNE!¡¡¡

DES FLEURS! DES JOLIS BOUQUETS! SIX PENCE, LE JOLI BOUQUET! DEUX POUR UN SHILLING!¡¡¡

PAUVRE FEMME! ¡¡¡

ENCORE CETTE FICHUE FOLLE!¡¡¡

UN SHILLING POUR MES JOLIS BOUQUETS! REGARDEZ COMME ILS SONT BEAUX!

FICHE LE CAMP!

NON, NON, ATTENDS! ¡¡¡

ON NE VOIT RIEN ICI! FAIS-LES-NOUS VOIR DE PLUS PRÈS TES BOUQUETS!

⑦

ILS ME LES ONT TOUTES ABÎMÉES!,,,,

À BOIRE!! À BOIRE, AUBERGISTE!!

OOH! QUE VOIS-JE?!,,,, UN CHEVALIER SERVANT! HIHI!! CE DOIT ÊTRE SON PRINCE! LE FIANCÉ DE MARY-SOUILLON!!

HIHIHI!!

JE VAIS VOUS EN ACHETER,

C'EST VRAI?

MARC RENIER 1993

J'EN PRENDRAI DEUX!

C'EST SIX PENCE LE BOUQUET, LES DEUX POUR UN SHILLING!

MERCI! MERCI, MONSIEUR!,,,, VOUS, VOUS ÊTES GENTIL! ,,,,

ELLES SONT TRÈS BELLES ,,,

,,,,SUTTERTON ,,,,BOSTON,,,, PARTNEY,,,,

,,,ENSUITE LOUTH,,,, GREAT-GRIMSBY,,,,DE LÀ, JE PRENDS LE BAC POUR KINGSTON,,,,

BON,,,,ON VERRA ÇA DEMAIN,,,,

LE LENDEMAIN MATIN, ALORS QUE JE M'APPRÊTAIS À PRENDRE LA MALLE POUR LOUTH!!!

UNE CHAMBRE, UN DÎNER,!!! UN BREAKFAST!!!

!!! ÇA NOUS FAIT HUIT SHILLINGS ET QUATRE PENCE!

?!

!!

EH BIEN, MON GARÇON? QUELQUE CHOSE NE VA PAS?

MA BOURSE!! !!! ON ME L'A VOLÉE!!!!!!

VOLÉE? ALLONS!!! SANS DOUTE L'AS-TU RANGÉE AILLEURS! AS-TU BIEN FOUILLÉ DANS TES POCHES?

OUI! PARTOUT!

DANS TON SAC!!! PEUT-ÊTRE?

À TOUT HASARD, J'OUVRIS MON SAC!!!

NON?

ELLE ÉTAIT DANS MA POCHE D'HABIT!!!! J'EN SUIS SÛR!!!!HIER SOIR, QUAND J'AI ACHETÉ DES FLEURS À CETTE FEMME, ELLE Y ÉTAIT ENCORE!!!!

EN VOITURE! EN VOITURE!

PLUS PERSONNE? !!!

(11)

YAAAAH!!

ON M'A FAIT LE COUP PLUS D'UNE FOIS! ON MANGE,,,, ON BOIT, ON PREND UNE CHAMBRE, ET ENSUITE ON DIT AVOIR ÉTÉ VOLÉ ET NE PAS POUVOIR PAYER!,,,,

,,,, MAIS TOI, NON! JE NE CROIS PAS QUE CE SOIT ÇA!,,,,

JE T'AI VU HIER AVEC CETTE PAUVRE MARY,,,, UN ESCROC NE SE SERAIT PAS COMPOR-TÉ AINSI,,,,

BON! QUE VA-T-ON FAIRE DE TOI ?

,,,, JE N'EN SAIS RIEN,,,, JE,,,,

OÙ VAS-TU AINSI ?,,,,

À DUNDEE, CHEZ UN GRAND-ONCLE ,,,,

DUNDEE ? FICHTRE! CE N'EST PAS LA PORTE À CÔTÉ!

,,,, LE PROBLÈME EST DONC DOUBLE,,,, D'UNE PART, IL TE FAUT TROUVER DE L'ARGENT POUR ME PAYER, DE L'AUTRE, IL T'EN FAUT ÉGALEMENT POUR POURSUIVRE TON VOYAGE,,,,

HUM,,,, J'AI PEUT-ÊTRE UNE SOLUTION ,,,,

L'AUBERGISTE ÉTAIT UN BRAVE HOMME, SON SECOND SERVEUR ÉTANT ABSENT, TEMPORAIREMENT, IL ME PROPOSA DE LE REMPLACER,,,,

,,,, CE N'EST BIEN SÛR PAS ÉNORME, MAIS SI TU FAIS ATTENTION, DANS QUELQUES SEMAI-NES, TU AURAS DE QUOI CONTINUER TA ROUTE ,,,,

DAVE DORT LÀ-BAS SUR L'AU-TRE PAILLASSE!

VOUS VOUS PARTAGEREZ LE SERVICE DU MIDI. QUANT AU SOIR, VOUS NE SEREZ PAS TROP DE DEUX POUR LA SALLE ET LE BAR!,,,,

AINSI ME RETROUVAI-JE GARÇON DE SALLE À SPALDING,,,,

MAIS QUI A DONC PU ME DÉROBER MA BOURSE, ET À QUEL MOMENT ?,,,, A LA FIN DU DÎNER ?,,,,

14

JE VÉCUS LÀ PRÈS DE TROIS SEMAINES...

HORMIS LE SOIR OÙ L'AUBERGE ÉTAIT GÉNÉRALEMENT PLEINE, ET LE SERVICE ÉPUISANT...

DEUX GINGER, UNE ALE, TROIS STOUT ET UNE LIMONADE !...

NOUS TRAVAILLIONS SELON UN RYTHME PLUTÔT TRANQUIL-LE ET RÉGULIER.

...LE MATIN, COURSES, COMMIS-SIONS ET SOUVENT UN COUP DE MAIN À HARRY, LE CUISINIER...

LE MIDI, SERVICE ET PRÉSENCE AU BAR...

L'APRÈS-MIDI, QUARTIER LIBRE, JUSQU'À SEIZE HEURES TRENTE...

MARC RENIER.

...PUIS PRÉPARATION DU DÎNER ET SERVICE DU SOIR...

REMETS-NOUS TROIS AUTRES BIÈRES ET AUSSI QUELQUES GALETTES AU SEL, HISTOIRE D'ÉPONGER UN PEU TOUT ÇA !...

...ENFIN, À ONZE HEURES, FERMETURE, VAISSELLE, RANGEMENT ET NETTOYAGE DE LA SALLE...

ALLEZ, LES ENFANTS ! C'EST BON COMME ÇA ! TOUT LE MONDE AU LIT !...

13

SOUVENT, L'APRÈS-MIDI, LE PATRON VENAIT ME TENIR COMPAGNIE ET BAVARDER!!!

SIX PENCE LE BOUQUET!!!! LES DEUX POUR UN SHILLING!

TIENS! MARY SHILLING!

PAUVRE FILLE!!!!

ON T'A DÉJÀ RACONTÉ SON HISTOIRE?

NON!!!!

UNE HISTOIRE SI LAMENTABLE!!!!

!!!POUR COMMENCER, FIGURE-TOI QUE SON MARI A ÉTÉ PENDU!!!! TIENS, VERSE-MOI DONC UNE BIÈRE!!!!

PENDU?!!!! MAIS QU'AVAIT-IL FAIT?

RIEN, PEUT-ÊTRE!!!! ON L'A ACCUSÉ D'AVOIR TUÉ UN DE SES COMPAGNONS, UN AUTRE FORESTIER!!!

!!! MAIS RIEN N'A VRAIMENT ÉTÉ PROUVÉ! CE QU'ON LUI REPROCHAIT SURTOUT, C'ÉTAIT DE NE PAS ÊTRE D'ICI! DAME! C'ÉTAIT UN FRANÇAIS!!!!! UN ANCIEN SOLDAT DE L'EMPEREUR!!!!!ET AVEC ÇA, TAILLÉ COMME UNE ARMOIRE À GLACE!!!!TOUT ÇA, ICI, CE N'ÉTAIT PAS BIEN VU!!!!

REMARQUE! P'TÊT QU'IL AVAIT EFFECTIVEMENT TUÉ L'AUTRE!!!! CE QUE JE VEUX DIRE, C'EST QUE S'IL S'ÉTAIT APPELÉ JONES OU SPENCER, S'IL AVAIT ÉTÉ UN BON BOURGEOIS DU BOURG, LES CHOSES SE SERAIENT PASSÉES BIEN AUTREMENT!!!!

!!! BREF, SON HOMME PENDU, NOTRE MARY SE RETROUVE SEULE AVEC LE PETIT -IL AVAIT À PEINE TROIS OU QUATRE ANS-, À NOURRIR ET À ÉLEVER!!!! MAIS CE N'EST PAS LE DIRE!!!!

UN PETIT SHILLING! JUSTE UN TOUT PETIT SHILLING!!!!

;;;OH NON! CE N'EST PAS LE PIRE!;;;

UN AN PLUS TARD, BRIAN, LE PETIT, S'EST NOYÉ!;;; OUI! EN JOUANT PRÈS DE LA MARE DER- RIÈRE LA MAISON;;;

BRIAN!! TON GOÛTER EST PRÊT!;;;

BRIANNNN!!! HOUHOU!!! MAMAN T'APPELLE!!;;;

OÙ TE CACHES-TU, PETIT BANDIT?

C'EST LÀ QUE CETTE PAUVRE MARY A PERDU LA TÊTE! ÇA EN FAISAIT TROP POUR ELLE!;;;

;;;FIGURE-TOI QU'ELLE S'EST MISE À FAIRE COMME SI LE GOSSE ÉTAIT ENCORE VIVANT, COMME S'IL ÉTAIT TOUJOURS LÀ, À SES CÔTÉS;;;

;;; POURTANT, C'ÉTAIT ELLE QUI AVAIT DÉCOUVERT LE CORPS;;; ET ELLE ÉTAIT PRÉSENTE À L'ENTERRE- MENT!;;; ÇA N'A RIEN FAIT! ELLE S'EST MIS EN TÊTE QUE LE PETIOT ÉTAIT TOUJOURS LÀ, ET ELLE A CONTINUÉ À EN PARLER ET À FAIRE COMME S'IL ÉTAIT ENCORE EN VIE!;;;

;;; TOUT CE QUE JE TE RACONTE, ÇA FAIT PLUS DE DIX ANS!;;; POURTANT AUJOURD'HUI ENCORE,;;;

NON!! ÇA NE SE PASSERA PAS COMME ÇA! JE TE LE DIS!!

ALLONS, LLOYD! TU L'AS SANS DOU- TE ÉGARÉE!;;;

PAS DU TOUT! ON ME L'A VOLÉE!!

QUE SE PASSE-T-IL?

17

* Voir épisode précédent : "Sur la route de Londres".

J'ÉTAIS MONTÉ ME COUCHER, LAISSANT DAVE ET LE PATRON À LEUR SINGULIER TÊTE-À-TÊTE!!!

SUIS-MOI! !!!

SI C'EST BIEN DAVE LE VOLEUR, QUE VA FAIRE LE PATRON ? LE RENVOYER ? LE DÉNONCER À LA POLICE ?...

DAVE NE REMONTAIT TOUJOURS PAS!!!

JE LAISSAI PASSER ENCORE QUELQUES MINUTES, PUIS JE DESCENDIS SANS FAIRE DE BRUIT!!!

DE L'OFFICE, ME PARVENAIENT DES BRUITS DE VOIX!!!

SOUDAIN, ALORS QUE J'ATTEIGNAIS LES DERNIÈRES MARCHES DE L'ESCALIER!!!

?!!

OUCH!!

PUIS UN SON SOURD, COMME UN CHOC!!!

BLAM !

?

MONSIEUR TAYLOR ?

DAVE ?

MARC RENIER

18

Curieusement, la cuisine était plongée dans la pénombre!!!

C'est pourtant bien d'ici que venaient les bruits?!...

Patron?!... Dave?!...

Puis je butai contre quelque chose!...

Et m'étalai de tout mon long!

Aïe!

!!

Qu'est-ce que c'est que ça?!... C'est poisseux et tiède comme !...

C'est alors, tout près, qu'une voix se mit à hurler!

À L'ASSASSIN!!!! AU MEURTRE!!!!!

À L'ASSASSIN!!! À L'ASSASSIN!!!

19

21

BRUSQUEMENT LA PORTE DE LA SALLE S'OUVRIT...

QU'EST-CE QUI SE PASSE ? QUI A CRIÉ ?

...LIVRANT PASSAGE À HARRY ET À UN CLIENT DE L'HÔTEL...

C'EST TOI, QUI...

AAAH!

DIEU!!!!

MAIS ? ...

...QU'EST-CE QUE VOUS... ? CE N'EST PAS MOI, HEIN ?... JE VOUS JURE QUE...

JE VENAIS JUSTE D'ENTRER... JE SUIS TOMBÉ...

LE CONSTABLE!!! VITE!! QUE QUELQU'UN AILLE CHERCHER LE CONSTABLE !!!...

N'APPROCHEZ PAS !!!...

QUELLE HORREUR !!!

QUE SE PASSE-T-IL?

IL L'A TUÉ! OUI, IL L'A TUÉ!

22

ASSASSIN!!!
ASSASSIN!!!

COMME DAVE SE JETAIT SUR MOI, INSTINCTIVEMENT JE PRIS LA FUITE.

HEY ?!!

ATTENTION!!!

IL S'ENFUIT !!!

RETENEZ-LE!!

IL A MIS LE VERROU!

FAITES LE TOUR! VITE! IL VA SORTIR PAR LA COUR!

MARC RENIER

DIEU! ILS SONT DÉJÀ LÀ!

OÙ ALLER ?!?
!!!

PAR LÀ! JE L'AI VU! IL A FILÉ VERS LA RUE!,,,

EH BIEN! QU'EST-CE QUE TOUT CELA SI-GNIFIE?

UN MEURTRE, CONSTABLE! TAYLOR VIENT D'ÊTRE ASSASSI-NÉ! ET LE JEUNE GAR-ÇON QU'IL AVAIT EM-BAUCHÉ, A PRIS LA FUITE!,,,

DIABLE!!! UN MEURTRE, AVEZ-VOUS DIT? ET OÙ SE TROUVE LE CORPS?,,,

DANS L'OFFICE! ,,,

JE PROFITAI DE CETTE RELATIVE ACCALMIE POUR EXAMINER MA SITUATION,,,

,,,DANS QUELQUES HEURES, TOUT LE VILLAGE SERA À MES TROUS-SES ,,,

,,,M'EN REMETTRE AU CONSTABLE?,,,CE SERAIT BIEN SÛR PLUS SAGE, MAIS ,,,

INSIDIEUSEMENT, ME REVENAIENT LES MOTS DE MON MAL-HEUREUX PATRON,,,

",,,RIEN N'AVAIT ÉTÉ PROUVÉ!,,,"

",,,CE QU'ON LUI REPROCHAIT SUR-TOUT, C'ÉTAIT DE N'ÊTRE PAS D'ICI!,,,"

,,,ET MOI, C'EST PAREIL! JE NE SUIS PAS D'ICI!,,,

DANS L'EXPECTATIVE, JE DÉCIDAI DE ME DIS-SIMULER DE MON MIEUX, ET D'ATTENDRE,,,

TOUTE LA NUIT, CE FUT UN VA-ET-VIENT INCESSANT! LE SQUIRE, LE MÉDECIN, DES FONCTIONNAIRES DE POLICE, DES EMPLOYÉS POUR EMMENER LE CORPS...

...PUIS EN DÉBUT DE MATINÉE, UNE BATTUE FUT ORGANISÉE...

TOUT LE MONDE EST LÀ?

ALORS, ALLONS-Y!!...

...QUI PRIT LE CHEMIN DE SUTTERTON, VERS LA CÔTE, HARRY ET DAVE EN FAISAIENT PARTIE!...

DAVE, L'ODIEUX RESPONSABLE DE TOUT MON MALHEUR! A L'ÉVIDENCE, LE VÉRITABLE ASSASSIN DE CE PAUVRE AUBERGISTE!...

SALOPARD!!... J'ENRAGE DE DEVOIR ME TERRER ET ME TAIRE AINSI!...

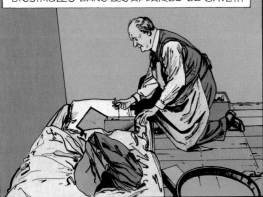

POUR TROMPER LE TEMPS, LA FATIGUE ET LA FAIM, J'ENTREPRIS DE RECONSTITUER LES FAITS TELS QU'ILS AVAIENT DÛ SE PRODUIRE, LE PATRON DÉCOUVRANT LES OBJETS VOLÉS, DISSIMULÉS DANS LES AFFAIRES DE DAVE...

...SOMMANT CE DERNIER DE S'EXPLIQUER...

...BOUGRE DE BOUGRE DE PETIT FUMIER!!!...

MONSIEUR TAYLOR, DE TEMPÉRAMENT SANGUIN ET IMPULSIF, À UN CERTAIN MOMENT AVAIT DÛ CÉDER À LA COLÈRE...

ET DAVE, PRIS DE PANIQUE, AVAIT EMPOIGNÉ UN COUTEAU...

UN VOLEUR SOUS MON TOIT!!!...

LA SUITE ÉTAIT FACILE À IMAGINER!...

23

DAVE N'A PAS MÊME LE TEMPS DE RÉALISER CE QU'IL VIENT DE FAIRE!!!

MARC RENIER

!!!QUE DÉJÀ IL ENTEND, MA VOIX DE L'AUTRE CÔTÉ DE LA PORTE!!!

MONSIEUR TAYLOR?!!! DAVE?!!!

!!

IL SOUFFLE LA LAMPE, ET SE JETTE DERRIÈRE LE PLACARD, À CÔTÉ DE LA PORTE!!!

PATRON?!!! DAVE?!!!

IL ME VOIT BUTER CONTRE LE CORPS, TOMBER, ME RELEVER SOUILLÉ DE SANG!!!

?!!

C'EST SANS DOUTE À CE MOMENT QUE LUI VIENT L'IDÉE DIABOLIQUE DE ME FAIRE ENDOSSER LE CRIME. IL SE MET ALORS À HURLER!!!

À L'ASSASSIN!!! AU MEURTRE!!!

!!! PLUS TARD, QUAND HARRY ET LES CLIENTS DE L'HÔTEL ENTRENT DANS LA CUISINE, IL SE GLISSE DERRIÈRE EUX, COMME SI, LUI AUSSI, VENAIT DE LA GRANDE SALLE!!!

EN RECONSTITUANT AINSI LES FAITS, JE RÉALISAI À QUEL POINT IL ME SERAIT DIFFICILE DE ME DISCULPER!

!!!CE SERAIT SA PAROLE CONTRE LA MIENNE!!!! ET LUI, IL EST CONNU DE TOUT LE MONDE! IL EST D'ICI!!!!!

24

ILS RENTRÈRENT EN FIN D'APRÈS-MIDI!!!

LES VOILÀ!!

ALORS?

VOUS L'AVEZ TROUVÉ?

RIEN! !!!

UN AVIS DE RECHERCHE A ÉTÉ LANCÉ!!!LES POLICES DE SUTTERTON ET DE HOLBEACH VONT PRENDRE LE RELAIS!!!!

A LA NUIT TOMBANTE, JE DÉCIDAI DE TENTER MA CHANCE!!!

OUILLE!!!!J'AI DES COURBATURES PARTOUT!!!!IL EST TEMPS QUE JE SORTE DE LÀ!!!!

CONTOURNANT LE HANGAR, PUIS ME FAUFILANT DANS L'OMBRE DU TALUS JE REJOIGNIS, EN CONTRE-BAS, LA ROUTE DE SUTTERTON!!!

MARC RENIER

A L'ORÉE DE LA FORÊT, J'OBLIQUAI POUR EMPRUNTER UN CHEMIN FORESTIER!!!

LA NUIT GROUILLAIT DE MILLE PRÉSENCES INVISIBLES, DE MILLE REGARDS EMBUSQUÉS, DE MILLE CRIS INQUIÉTANTS!!!

JE DÉCIDAI DE DORMIR QUELQUES HEURES, ET JE M'INSTALLAI DU MIEUX QUE JE PUS CONTRE LA SOUCHE D'UN VIEIL ARBRE!!!

EN ESPÉRANT QU'IL N'Y AIT PAS DE LOUPS!!!

BAH! DE TOUTE FAÇON!!!! AU POINT OÙ J'EN SUIS!!!!

CRÂC

!!

HUM!!!!

POUR FINIR, LA FATIGUE FUT LA PLUS FORTE!!!

CLAP

BRAVO!

BRAVO!

BRAVO!

ET MAINTENANT, MESDAMES ET MESSIEURS, UN NUMÉRO EXCEPTIONNEL: LE FAMEUX "BAISER D'AMOUR"!...

...IL VA NOUS ÊTRE EXÉCUTÉ PAR MADEMOISELLE LEYRA ET NOTRE JEUNE AMI, SÉBASTIEN MELMOTH!!

...ON LES APPLAUDIT BIEN FORT!

26

28

APPROCHEZ, TOUS LES DEUX ! ENCORE PLUS PRÈS ! , , , C'EST BIEN ! , , , MAINTENANT, DONNEZ-VOUS LA MAIN ET APPROCHEZ VOS LÈVRES ! , ,

ARRÊTEZ !!! ARRÊTEZ CELA, IMMÉDIATEMENT !!

LE SIEUR MELMOTH, ICI PRÉSENT, NE PRÉ-SENTE AUCUNE DES CON-DITIONS REQUISES POUR CE BAISER ! , , , LOIN DE LÀ !! , , , ,

D'ABORD CE MELMOTH EST UN ORPHELIN, EH OUI ! ! ET D'UN ! ET DE DEUX, IL S'EST ÉVADÉ DE SON COLLÈGE ! PAR LES TOITS !! OUI, MESSIEURS DAMES, PAR LES TOITS !

C'EST D'AILLEURS EN GLISSANT DU FAÎTE DE CE TOIT QU'IL S'EST TUÉ ! EH OUI !! , , , ,

ENFIN PASSONS , , ,

ENSUITE, CE MELMOTH EST UN VAGABOND ! OUI ! UN PARIA TRAÎNANT SA BESACE PAR LES ROUTES DE NOTRE BELLE ANGLE-TERRE, ET CE SANS UN SOU EN POCHE !!

SANS UN PENNY ? SANS UN SHILLING POUR MES BEAUX BOUQUETS ?

CE MELMOTH EST AUSSI UN VOLEUR! OUI, J'AI BIEN DIT; UN VOLEUR! UN RECELEUR ET UN VOLEUR!!!!

!!!ET CE N'EST PAS TOUT! OH NON, CE N'EST TOUT!

!!!CAR CE SÉBASTIEN MELMOTH EST ÉGALEMENT UN ASSASSIN!

ASSASSIN!!! ASSASSIN!!!

CE N'EST PAS VRAI!!! C'EST PAS MOI QUI L'AI TUÉ! CE N'EST PAS MOI!!!

PAS VOUS? MONTREZ VOS MAINS!

DIEU! QUEL CAUCHEMAR! !!!

JE REPRIS MA ROUTE EN DIRECTION DE LA CÔTE!!!

!!!TANT QUE JE SUIS DANS LA FORÊT, JE NE RISQUE PAS GRAND-CHOSE, ENSUITE, CE SERA AUTRE CHOSE!

OH!! DES MÛRES!!

J'ÉTAIS TELLEMENT ABSORBÉ PAR MON FESTIN, QUE JE NE LES ENTENDIS PAS APPROCHER!!!

MARC RENIER

EH BIEN, JEU-NE DRÔLE! QUE FAIS-TU LÀ PARMI LES RONCES?

BAH! ENCORE L'UN DE CES MISÉREUX, DE CES DAMNÉS VAGA-BONDS!!!!

?!

28

TU MANGEAIS DES MÛRES ? APPROCHE-TOI ! APPROCHE-TOI UN PEU !

JE... JE MANGEAIS DES MÛRES !...

PRÉTENDS-TU IGNORER QUE CETTE FORÊT APPARTIENT À MON AMI LORD DUNSAY, ET DONC QUE TU LUI VOLAIS SES FRUITS ?

JE... NON, MONSEIGNEUR ! JE... J'AVOUE QUE JE L'IGNORAIS !...

HORREUR ! C'ÉTAIT LÀ LE TRISTE SIRE, QUI L'AUTRE SOIR, IMPORTUNAIT CETTE PAUVRE FEMME ! ET LUI SEMBLAIT BIEN ME RECONNAÎTRE !

MAIS J'Y PENSE : CE NE SERAIT PAS TOI, CE JEUNE CRIMINEL QUE L'ON RECHERCHE ?

...ON S'EST DÉJÀ VUS, IL ME SEMBLE, À L'AUBERGE, JE CROIS ?...

ET QUAND BIEN MÊME ! NOUS N'ALLONS PAS NOUS COMMETTRE DANS DE SOMBRES BESOGNES POLICIÈRES, J'ESPÈRE ?

OH NON, MONSEIGNEUR, PAS DU TOUT ! JE... JE VOUS L'ASSURE !...

ASSURÉMENT NON, MON FLOYD ! ASSURÉMENT NON !... MAIS CEPENDANT, J'AI UNE IDÉE !...

ÉCOUTE, GAMIN ! NOUS DÉBATTONS AVEC MES AMIS, SAVOIR SI OUI OU NON, TU ES CE CRIMINEL !... COMME NOUS NE POUVONS NOUS METTRE D'ACCORD, NOUS ALLONS NOUS EN REMETTRE À LA PROVIDENCE !

?!

VOILÀ ! NOUS T'OCTROYONS, DISONS... HUM !... TROIS MINUTES D'AVANCE ! A PARTIR DE LÀ, NOUS OUVRONS LA CHASSE, ET NOUS TE POURSUIVONS !...

SI TU NOUS ÉCHAPPES, TANT MIEUX POUR TOI !...

ET... ET SI VOUS M'ATTRAPEZ ?...

EH BIEN, NOUS TE PENDRONS À L'UNE DE CES RAMURES ! VOLEUR DE FRUITS, CRIMINEL EN FUITE, MES ANCÊTRES BRANCHAIENT POUR BEAUCOUP MOINS QUE ÇA ! PRÊT, BONHOMME ?!

J'IGNORAIS S'ILS PLAISANTAIENT ET, SI OUI OU NON, ILS SE PROPOSAIENT DE ME PENDRE, MAIS À TOUT HASARD, JE PRIS MES JAMBES À MON COU !...

HÉ ! UN VRAI LIÈVRE, CE GARÇON !...

ALLEZ !! PLUS VITE !! DU NERF !...

MARC RENIER
93

29

QU'EN DITES-VOUS, MES BONS ! TROIS MI-NUTES, CELA PASSE VITE, N'EST-CE PAS ?

EXTRÊMEMENT VITE!!!!! ET IL SERAIT BIEN, REGRET-TABLE QUE, CE GAILLARD NOUS ÉCHAPPE !!!!!

ALORS !!!!
YA YAAAA YAAA !!

MON DIEU !! DÉJÀ !!!!! CES TROIS MINUTES !!!! CE N'ÉTAIT DONC QU'UNE RUSE !

COMME ILS ARRIVAIENT SUR MOI, JE PLONGEAI DANS LES BROUSSAILLES EN CONTREBAS !!!!

HÉ ! NOTRE GIBIER CHAN-GE DE PISTE !

TANT MIEUX ! SUR CETTE ROUTE, CELA EÛT ÉTÉ TROP FACILE !!!!

SANS DOUTE LA PENTE ET LES BROUSSAILLES RALENTISSAIENT-ELLES LEUR AVANCE, MAIS JE N'ÉTAIS PAS SAUVÉ POUR AUTANT !...

ASHLEY ! CLYDE ! DE CE CÔTÉ-CI, IL Y A UNE SENTE !...

PAR ICI ! PAR ICI ! IL EST JUSTE DEVANT MOI !...

OÙ CELA ?

LÀ-BAS, À GAUCHE DE CE ROCHER ! ...

CLYDE ! VITE ! ON VA LE CONTOURNER ! ...

TAÏAUT !! TAÏAUT !!

COMBIEN DE TEMPS CETTE POURSUITE DURA-T-ELLE ? JE N'EN AI PAS LA MOINDRE IDÉE ! DES SIÈCLES À CE QU'IL ME SEMBLA SUR LE MOMENT !...

JE NE SENTAIS PLUS NI MES JAMBES, NI LES MORSURES DES RONCES ET DES ÉPINEUX ! MON CŒUR BATTAIT À TOUT ROMPRE, ET J'ÉTAIS PRIS DE SORTES DE VERTIGES !...

㉛

VOILÀ....

....J'ÉTAIS TOMBÉ DU PLUS HAUT TRAPÈZE DU CHAPITEAU....

....CELA SE PRODUIT PARFOIS DANS LES NUMÉROS DE VOLTIGE....

JE M'ÉTAIS BRISÉ LE COU, ET SANS DOUTE ALLAIS-JE MOURIR.... MAIS CE N'ÉTAIT PAS GRAVE; J'ÉTAIS BIEN....

AU-DESSUS DE MOI, SE PENCHAIENT L'ETOILE, FITZ, MONSIEUR BILCKAMBER, MON ADORABLE LEYRA, ET D'AUTRES VISAGES SUR LESQUELS JE N'ARRIVAIS PAS À METTRE UN NOM....

MAIS POURQUOI S'ENTÊTAIENT-ILS TOUS À M'APPELER "BRIAN"?

OUI, OUI!.... DORS, MON BRIAN!

SÉBASTIEN.... SÉBASTIEN MELMOTH....

PARTOUT ALENTOUR, RÉGNAIT UNE BONNE ODEUR D'HERBES, DE FLEURS ET DE DRAPS FRAIS....

AVEC VOLUPTÉ, JE ME LAISSAI DÉRIVER SUR LES MILLE NUAGES DU DÉSIR ET DU RÊVE....

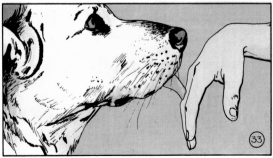

33

A CE QU'ON ME RACONTA PAR LA SUITE, JE RESTAI AINSI TROIS JOURS ET TROIS NUITS, DANS UN ÉTAT DE SEMI-INCONSCIENCE!!!

PUIS, AU QUATRIÈME JOUR, LA FIÈVRE DISPARUT, ET J'ÉMERGEAI DE MON BROUILLARD D'IMAGES ET DE SONGES!!!

??!

OÙ DIABLE PUIS-JE ME TROUVER?

OUI, OUI!!! BONJOUR, LE CHIEN!!!

AÏE!

MA CHEVILLE!!!! J'AI DÛ ME CASSER OU POUR LE MOINS ME TORDRE QUELQUE CHOSE!!!

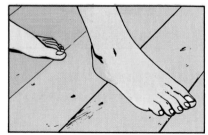

34

BRIAN!! MON PETIT!!
...

JE RECONNUS MARY SHILLING!!!

MAIS? JE!!!

MON PAUVRE PETIT! TU ES GUÉRI?! MON DIEU, QUELLE PEUR J'AI EUE!!!

QUAND GEORGES T'A DÉCOUVERT AU FOND DE CETTE COMBE, TOUT COUVERT DE BOUE ET DE SANG!!!

VIENS! NE RESTE PAS DEBOUT!!! ATTENDS, JE VAIS T'AIDER!!!

...

OUI, C'EST GRÂCE À CE BRAVE GEORGES QUE TU ES LÀ! OH, IL T'A PLAIRÉ DE LOIN!!! J'ÉTAIS OCCUPÉE À CUEILLIR DES FLEURS, LORSQUE SOUDAIN, IL S'EST MIS À ABOYER PUIS À COURIR!!!

MERCI, JE!!!

VOILÀ! !!!

LA SOUPE EST BIENTÔT PRÊTE!!! EST-CE QUE TU AS FAIM?

UN PEU, OUI!!!

BON!!! JE VAIS RAJOUTER QUELQUES POMMES DE TERRE ET DU LARD!!!

JE!!! VOUS NE VOULEZ PAS QUE JE VOUS AIDE?

TE-TE-TE!! TU RESTES LÀ, ET TU LAISSES TA MAMAN S'OCCUPER DE SON GRAND FILS!!! D'ACCORD?

MON DIEU! ELLE ME PREND DONC VRAIMENT POUR SON FILS!! !!!

35

37

JE VÉCUS LÀ COMME UN RÊVE ÉTRANGE! MARY SHILLING, DEVENUE MA MÈRE, ÉVOQUAIT COMME ÉTANT MIENS, UNE ENFANCE ET UN BONHEUR IGNORÉS...

UN ÂGE D'OR OÙ - SELON SON SOUVENIR - TOUT N'ÉTAIT QUE TENDRESSE, JOIE ET DOUCEUR DE VIVRE...

LE SOIR, ON SE RETROUVAIT TOUS LES TROIS PRÈS DU FEU! TOI, TU SOMNOLAIS SUR MES GENOUX...

MARC RENIER

ALORS J'ALLAIS TE COUCHER... POUR T'ENDORMIR, JE TE RACONTAIS DES HISTOIRES... CELLE DU PETIT CHAPERON ROUGE, DU LOUP ET DU RENARD, CELLE D'OLAF, LE ROI DES TROLLS...

TU TE SOUVIENS? ...

NOUS N'ÉTIONS PAS RICHES, MAIS NOUS ÉTIONS HEUREUX! TU ÉTAIS SI MIGNON! ET TON PÈRE ÉTAIT SI BRAVE ET SI BON!...OUI : SI BON...

EN VAIN, JE CHERCHAIS COMMENT LUI FAIRE COMPRENDRE QUE JE N'ÉTAIS PAS CET ENFANT QU'ELLE AVAIT TANT CHÉRI...

JE...HUM! IL FAUT QUE JE VOUS DISE UNE CHOSE...

VOILÀ... EUH...

...LOUIS! MON PAUVRE LOUIS!... OH DIEU, POURQUOI LE MONDE EST-IL SI MÉCHANT, SI CRUEL?...

HEUREUSEMENT, IL ME RESTE TOI! SI TU N'ÉTAIS PAS LÀ...

NON, DÉCIDÉMENT, LUI FAIRE ADMETTRE QUE JE N'ÉTAIS PAS SON FILS, EÛT ÉTÉ TROP DUR... PAR LA FORCE DES CHOSES - ET DE FAÇON PROVISOIRE - JE DEVINS DONC BRIAN...

MAIS TU ES LÀ, N'EST-CE PAS, BRIAN?

OUI...OUI... JE SUIS LÀ...

36

LE LENDEMAIN MATIN, ALORS QUE J'AIDAIS MARY À ASSEMBLER SES BOUQUETS!!!

GRRRRRR?!

WA

TIENS? AURIONS-NOUS DE LA VISITE?!!!

PAR LES CARREAUX DE LA FENÊTRE, J'ENTREVIS DES UNIFORMES!!!

BOM

OUI, OUI! J'OUVRE!

NON, ATTENDEZ! IL NE FAUT PAS QU'ILS ME VOIENT! JE!!!JE VOUS EXPLIQUERAI!!!

NON!! PAS CETTE!!!

TROP TARD!

EH BIEN! TU TARDES DRÔLEMENT À OUVRIR!

EXCUSEZ-MOI, JE TERMINAIS DE LIER UN BOUQUET!!!

GEORGES!! VEUX-TU TE TAIRE!!

DIS-MOI! N'AURAIS-TU PAS VU UN JEUNE GARÇON VAGABONDER DANS LES PARAGES? BLOND, ASSEZ GRAND, PORTANT UNE VESTE GRISE ET UNE CULOTTE NOIRE?

UN JEUNE GARÇON, MA FOI, NON!

EEH, LA FEMME! CETTE VESTE, À QUI APPARTIENT-ELLE?

37

EH BIEN !
VAS-TU RÉPON-
DRE, OUI ?

MON DIEU !!
MA VESTE !!
! ! !

VOYONS, SER-
GENT ! C'EST LA
VESTE DE BRIAN !

BRIAN ?

MON
PETIT !
! ! !

SERGENT,
ATTENDEZ ! VOUS....
. . . . . .

JE ! ! !
HUM !! ! ! ! !
OUI !! ! ! !

! ! ! C'EST BON !
NOUS ALLONS TE
LAISSER ! ! ! !

! ! ! MAIS SI TU RE-
MARQUES QUOI QUE
CE SOIT DE SUSPECT,
VIENS AUSSITÔT NOUS
TROUVER !

C'EST
PROMIS !
! ! !

EH BÉ !
! ! !

! ! ! ILS
REPARTENT !!
OUF !! ! ! !

38

41

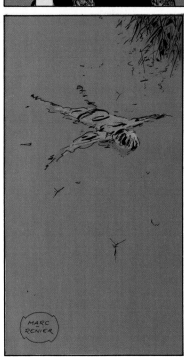

C'EST VRAI!!!!
C'EST VRAI QUE
LES HOMMES SONT
MÉCHANTS!!!!

S'ILS S'IMAGINENT
QUE C'EST TOI QUI AS TUÉ
DICK TAYLOR, ILS VOU-
DRONT TE PENDRE, COM-
ME TON PAUVRE PÈRE!
!!!

MON DIEU! POURQUOI
TANT DE CHAGRIN ET DE
HAINE! POURQUOI TANT
D'ACHARNEMENT!!!! NOUS
VIVIONS SI HEUREUX ICI!!!!
SANS FAIRE DE TORT À
QUICONQUE!

JE PARTIRAI
CETTE NUIT!

ET TON PIED?!
TU NE PEUX PAS
MARCHER!!

JE PRENDRAI
UNE CANNE!!!!

ET PUIS, JE
FERAI DE TOUTES
PETITES ÉTA-
PES!!!!

NE VOUS
INQUIÉTEZ PAS
POUR MOI!!! JE ME
DÉBROUILLERAI
BIEN!!!!

LA CHARBONNERIE!!!!
MAIS OUI, BIEN SÛR!!!!
MARTY TE PRENDRA
AVEC LUI!!!!

IL NE PEUT
PAS ME REFU-
SER ÇA!!!!

LA
CHARBONNERIE?

OUI, OUI!! ILS
ONT UN CHALAND QUI
EST AMARRÉ SUR LE
WELLAND! A MOINS D'UN
MILE! JE TE GUI-
DERAI!!!!

41

43

MARTY ÉTAIT UN AMI DE TON PÈRE, À L'ÉPOQUE LUI AUSSI ÉTAIT BÛCHERON!!! C'EST UN BRAVE HOMME, UN TRÈS BRAVE HOMME!!!

MARC RENIER

LEUR BATEAU, OÙ VA-T-IL?

IL DESCEND LE WELLAND JUSQU'À LA MER, OH, CE N'EST PAS SI LOIN! DOUZE OU QUINZE MILES!!!

!!!PARFOIS, IL EST REMORQUÉ JUSQU'À SKEGNESS!!!

LA POLICE N'IRA PAS ME CHERCHER JUSQUE-LÀ!!! ENFIN, JE L'ESPÈRE!!!

ET ENSUITE? OÙ IRAS-TU?

DANS LES HIGHLANDS, J'AI UN!!!EUH, QUELQU'UN QUE JE CONNAIS QUI HABITE PRÈS DE DUNDEE!!!

LES HIGHLANDS?! DIEU! MAIS C'EST LE BOUT DU MONDE!!!

QUAND DONC TE REVERRAI-JE, SI TU VAS SI LOIN?!!!!

!!!JE NE SAIS PAS!!! DÈS QUE JE POURRAI, DÈS QUE LA POLICE NE ME CHERCHERA PLUS!!! LE PLUS TÔT POSSIBLE!!!!

VOILÀ LA CHARBONNERIE!

DU CALME, GEORGES! DU CALME!

WA WA WA

42

44

SURGIRENT DE LA PÉNOMBRE LES FORMES DE DEUX OU TROIS BARAQUEMENTS!!!

GEORGES! VEUX-TU!!

WA WA WA V

QUI EST LÀ?

C'EST MARY! JE SUIS AVEC BRIAN!!! ON VIENT VOIR MARTY!!!

EH, MARTY! T'AS DE LA VISITE!

?!

MARY!! ÇA FAISAIT UNE PAYE QU'ON NE T'AVAIT VUE!

MAIS QUELLE DRÔLE D'HEURE POUR VENIR?!

C'EST QUE J'AI UN SERVICE À TE DEMANDER!!! ET CE SERVICE NE POUVAIT ATTENDRE!!!

AH!!! ET QUI EST CE GARÇON? !!!

C'EST BRIAN, VOYONS!!! ET C'EST JUSTEMENT À SON SUJET QUE!!!

BRIAN?! !!!

HUM!!!!

VOILÀ DE QUOI IL S'AGIT!!!

ATTENDS!!! VIENS PAR LÀ!!! ON SERA MIEUX POUR CAUSER

EEH! GARÇON! NE RESTE PAS LÀ! APPROCHE-TOI DU FEU!

VIENS DONC BOIRE UNE LAMPETTE!

!!!À MOINS QU'ON TE FASSE PEUR!!!! IL CROIT P'TÊT QU'ON MANGE LES JEUNOTS!!

HAHAHA!!!

43

45

BRIAN!!

C'EST D'ACCORD! MARTY VA TE PRENDRE AVEC LUI!!!

DÉPART DEMAIN MATIN À QUATRE HEURES! ON SERA REMORQUÉ JUSQU'À SKEGNESS!!!

!!!EN ATTENDANT ON VA TÂCHER DE TE TROUVER UN COSTUME PLUS APPROPRIÉ!!!

ET TOI, MARY, QU'EST-CE QUE TU FAIS?

QUE VEUX-TU QUE JE FASSE? DAME! IL FAUT BIEN QUE JE RENTRE!!!!

DE NUIT! À TRAVERS LES BOIS?

OH, CE N'EST PAS CELA QUI ME FAIT PEUR! ET PUIS J'AI GEORGES!

AU REVOIR, MON GRAND!!! QUE!!!

JE!!!

VA T'EN! VA T'EN VITE!!!!

MARC RENIER

ALLEZ, VIENS!

FOUILLE LÀ-DEDANS ET TÂCHE DE TROUVER QUELQUE CHOSE À TA TAILLE!!!

!!!TU METTRAS TA VESTE ET TES AFFAIRES DANS CE SAC!!!

44

47

JE FUS RÉVEILLÉ PAR LES CRIS STRIDENTS D'UNE SIRÈNE!!!

LE SOLEIL ÉTAIT LEVÉ!!!

ALORS? BIEN DOR-MI?!!!

TU AS RATÉ L'AR-RIVÉE DU REMORQUEUR! IL NE S'EST POURTANT PAS PRIVÉ DE FAIRE DU RAFFUT!!!!

LE REMOR-QUEUR?!!!! MAIS ALORS?!!!

EH, OUI, MON GARS! C'EST LE WASH! ON EST EN MER!!!

DEVANT NOUS, EN EFFET, IL N'Y AVAIT PLUS QUE L'INFINI MOUTONNEMENT DES VAGUES!!!

TU N'AVAIS JAMAIS VU LA MER?

NON!!!! JAMAIS!!!

C'EST BEAU!!!! C'EST BEAU ET EN MÊME TEMPS ÇA FAIT PEUR!!!!

COMME HYPNOTISÉ, JE MÊLAI AU TUMULTE DES FLOTS, LES TU-MULTES DE MA PROPRE VIE, PASSÉE ET À VENIR; LES SOUVENIRS ET LES REGRETS, LES ESPOIRS ET LES RÊVES!!!

46

Fin

PRINTED IN BELGIUM BY

proost
INTERNATIONAL BOOK PRODUCTION